à LNA Plume

© 2010, l'école des loisirs, Paris
Loi numéro 49 956 du 16 juillet 1949 sur les publications
destinées à la jeunesse : mars 2010
Dépôt légal : mars 2010
Imprimé en France par Jean-Lamour à Maxéville
ISBN 978-2-211-20113-1

Frédéric Stehr

Jour de lessive

l'école des loisirs
11, rue de Sèvres, Paris 6e

C'est mercredi, et il fait beau. Helena joue avec sa poupée au bord de la rivière.
Une petite souris arrive et s'installe non loin d'elle. Elle semble très occupée.
« Bonjour », dit Helena. La souris ne répond pas. « Bonjour », répète Helena.
« Oh, bonjour », dit la souris. « Je ne t'avais pas vue. J'attends les autres,
ils ne devraient pas tarder. Tu es nouvelle ? Tu es en avance… »
« En avance pour quoi ? » demande Helena.
Mais la souris ne répond pas.

« Ah, les voilà », dit-elle,
« on va pouvoir commencer. »
« Ouf », dit le raton laveur,
« j'ai bien cru que je ne serais pas à l'heure. »

« Vous êtes prêts ? » demande la souris. « 1, 2, 3, allons-y ! »

Elle se met à chanter : « *Avec ce soleil dans l'eau vive, c'est un bon jour pour la lessive.* »

Et la grenouille, le castor et le raton laveur reprennent avec elle.

« *Pour que le linge sente bon, il faut choisir un bon savon.* »

« Hum, c'est vrai que mon maillot ne sent pas très bon », constate Helena.

« Je pourrais peut-être le laver. »

« *On mouille, on frotte, on fait de la mousse. On frotte, on mouille, on s'éclabousse.* »

« Oh ! » s'exclame Helena. « Mon short est tout taché ! Bon, je crois que je vais tout enlever. »

« *Et quand le linge est bien rincé, il faut l'étendre et le faire sécher* »,
chantent la souris, la grenouille, le castor et le raton laveur.
Mais Helena n'en est pas au rinçage.
Pour l'instant, elle frotte, elle frotte, et sans savon, c'est très difficile.

« On voit bien que c'est la première fois que tu viens », dit la souris.
« Prends mon savon, je n'en ai plus besoin. »
« Merci », dit Helena.

« Moi, j'ai deux planches à lessiver »,
dit la grenouille, « et celle-ci est trop grande pour moi. »
« Oh, merci ! » dit Helena.

« Et moi », dit le raton laveur,
« j'ai encore de la place sur le fil, et quelques pinces à linge. »

« J'arrive ! » dit Helena, en traversant la rivière. Elle trouve l'eau délicieuse.
« Hum ! » fait le raton laveur, « pour la lessive, tu n'es pas rapide, mais pour
le grand bain, tu es la première. »
« Le grand bain ? » s'étonne Helena.
« Mais oui, tu ne te laves donc jamais ? »

« Tout le monde est prêt ? » dit la grenouille, « 1, 2, 3, on y va ! »
« On se frotte le dos ! On se frotte le museau !
On se frotte les genoux. Et les petits plis du cou !
Entre les orteils, et on n'oublie pas les oreilles ! »

Maintenant, il faut se rincer.
« Attention ! » dit Helena, « 1, 2, 3… on se pince le nez ! »

Tout le monde se sèche, se rhabille et se dit au revoir.
Helena est sûre qu'elle n'a jamais senti aussi bon.

« Rendez-vous à la prochaine lessive », dit la souris.
« Oh, oui ! » dit Helena. « À mercredi ! »
« Au revoir ! »
« Au revoir les amis ! »

« Ma pauvre », dit Helena à sa poupée.
« Tu as vu dans quel état sont tes habits ?
Je ne sais pas si ça pourra attendre mercredi... »